B / 0
1-3

MANUEL DE FALLA

NOCHES en los JARDINES de ESPAÑA

NUITS dans les JARDINS d'ESPAGNE

IMPRESSIONS SYMPHONIQUES POUR PIANO ET ORCHESTRE EN TROIS PARTIES

1º En el Generalife	Nº 1. Au Généralife
2º Danza lejana	2. Danse lointaine
3º En los jardines de la Sierra de Cordóba	3. Dans les jardins de la Sierra de Cordoue

Partition d'orchestre 25/-net

Parties d'orchestre complètes . . . . 30/-"

Chaque partie supplémentaire . . . . 2/6 "

Partition d'orchestre in 16º (format de poche) . . . . 6/-"

Piano solo avec réduction de l'orchestre transcrit à 4 mains
par G. SAMAZEUILH (pour l'exécution il faut 2 exemplaires) . . . 10/-"

Partie du Piano solo . . . . 6/-"

MAX ESCHIG et Cie, Editeurs
48, rue de Rome et 1, rue de Madrid, PARIS (8ᵉ)
Copyright 1922 et 1923 by MAX ESCHIG et Cie, Paris

COPYRIGHT FOR THE BRITISH EMPIRE:
J. & W. CHESTER Lᵀᴰ
11, GREAT MARLBOROUGH STREET, LONDON, W.1.
J. W. C. 54

PRINTED IN GERMANY.

Á RICARDO VIÑES

NOCHES EN LOS JARDINES DE ESPAÑA

I
En el Generalife

Manuel de Falla

ax Eschig, Editeur, Paris
opyright 1923 by Max Eschig, Paris

M. E. & Cᵒ 1158

12

M.E. & Cº 1158

M. E. & Cᵒ 1158

30

II
Danza lejana

M. E. & Cⁿ1158

M.E. & Cº 1158

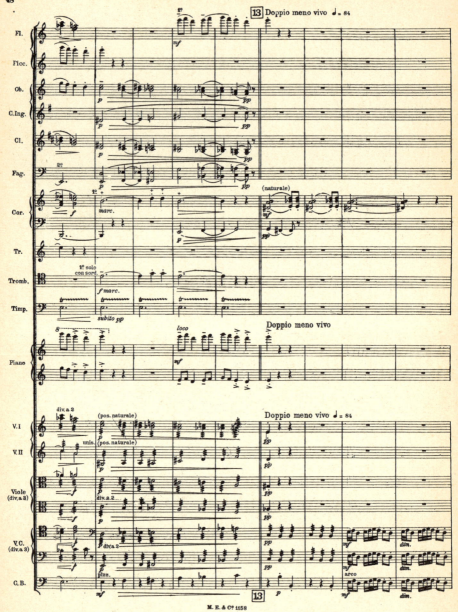

III

En los jardines de la Sierra de Córdoba

58

26
Fl.
Ob.
Cl.
Fag.
Cor.
Piano
V. I
V. II
Viole
V. C.
a 2
mf
1º
f
sempre
pizz.
arco
Cor. I. II.
ff

62

36 (ben misurato)

M. E. & C⁰ 1158

Imprimé en Allemagne

Mr 1 - Pedro